À pas de loup

Trop... menteur !

Texte : Danielle Vaillancourt
Illustrations : Marie-Claude Favreau

Aujourd'hui, Néva est invitée
chez son cousin Zakari.

Avec Max et Boulette,
elle prépare sa petite valise.

Néva emporte son maillot de bain fleuri, un os pour Max, une balle pour Boulette. Elle emmène aussi Jean-Guy, son poisson rouge.

Zakari a une grande piscine.
Jean-Guy raffole des piscines.

Néva aime aller chez son cousin Zakari.
Il est tellement gentil, il sourit tout le temps.
C'est pour cela qu'il a beaucoup d'amis :

la petite Zia, la grande Évelyne et Mario,
que Néva trouve trop… beau.

Ce jour-là, il y a un petit nouveau.

Zakari le présente à Néva.
Il s'appelle Jonathan Turpin-Laporte.

Le soleil brille, il fait chaud. Jean-Guy le poisson rouge saute dans l'eau.

Jonathan dit à Néva :
– Tu sais quoi ? Moi, j'ai un poisson rouge géant ! Plus grand qu'un divan.

Boulette court autour de la piscine.
Max jappe de joie.

Jonathan déclare :
– Moi, j'ai douze chiens et j'ai aussi un éléphant vivant !

– Regardez le bateau que j'ai reçu
en cadeau, dit Zakari.

–Moi, mon oncle possède un bateau tellement gros qu'il y a une piscine dedans! raconte Jonathan.

Zakari plonge dans la piscine. Jonathan dit :
– Moi, j'ai déjà traversé l'océan à la nage tout seul.

– Viens-tu te baigner ? demande Évelyne avant de sauter à l'eau.

–J'arrive, dit Jonathan. Avant, il faut juste que je vous dise… Le vrai Superman est déjà venu souper chez moi ! Il mange vraiment beaucoup !

– Nous, on va se baigner, dit Mario.

Néva reste seule avec Jonathan.
– Tu sais quoi ? dit-il. Moi, j'ai déjà rencontré le Chat botté.

– Et aussi le Petit Poucet.
Il n'est pas si petit qu'on le dit.

Jonathan se tourne vers Max et Boulette.

– Moi, mon grand-père possède le plus grand magasin d'os du monde !

Jonathan monte sur le tremplin.
– Vous ne devinerez jamais quoi,
mes chers amis.

C’est mon père à moi qui a inventé la roue.
Et ma mère à moi, le bouton à quatre trous !

–Quoi ? Vous ne me croyez pas ?
–Non ! crient tous les enfants en même temps.
Tu n'es qu'un menteur !

Deux grosses larmes coulent
sur les joues de Jonathan.

– Bon, bon ! J'avoue, j'ai menti. Je n'ai pas de chien, ni d'éléphant, ni de poisson géant… J'ai inventé tout ça parce que…

Jonathan renifle.
–Snif, snif. J'avais envie... d'être votre AMIIIIIII.

– Nous, tout ce que nous voulons, dit Zakari, c'est nous amuser avec notre AMI Jonathan… C'est ça, la vérité !